Romeu e Julieta

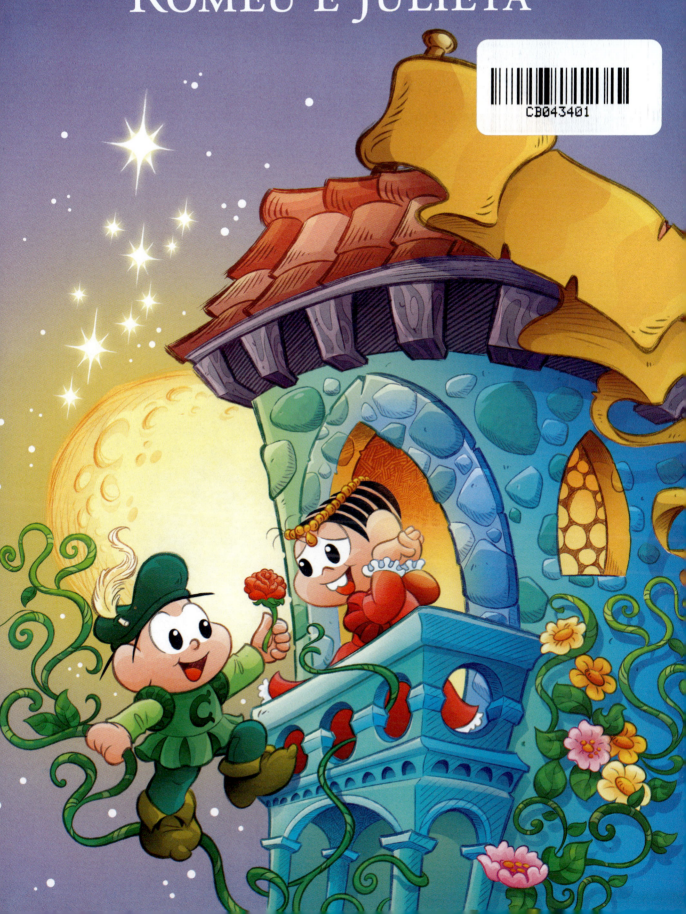

Há muitos e muitos anos, na cidade de Verona, na Itália, viviam duas famílias que eram inimigas declaradas, os Montecchios e os Capuletos.
Brigavam constantemente, atrapalhando a paz e a harmonia da cidade.

O PRÍNCIPE, CANSADO DE TANTAS RECLAMAÇÕES SOBRE AS BRIGAS DAS FAMÍLIAS, CHAMOU-AS E PROIBIU QUALQUER CONFUSÃO. SE NÃO OBEDECESSEM, SERIAM PUNIDOS COM A MORTE.

ROMEU MONTECCHIO ERA UM JOVEM MUITO DIVERTIDO, CORAJOSO E DESTEMIDO. ADORAVA FESTAS E NÃO DESGRUDAVA DE SEUS GRANDES AMIGOS: BENVÓLIO E MERCÚCIO.

UM DIA, OS AMIGOS O CHAMARAM PARA UM BAILE NA CASA DOS CAPULETOS.

ROMEU FALOU:

— VOCÊS ESTÃO MALUCOS? ELES ME EXPULSARIAM DE LÁ, ESQUECERAM QUE NOSSAS FAMÍLIAS SE ODEIAM?

— FIQUE TRANQUILO, POIS O BAILE É DE MÁSCARAS, NINGUÉM VAI RECONHECER VOCÊ. — RESPONDERAM OS AMIGOS.

ROMEU ADORAVA UMA FESTA, E MAIS AINDA UMA AVENTURA, ENTÃO ACEITOU A PROPOSTA.

O BAILE ESTAVA MARAVILHOSO, AS PESSOAS RICAMENTE FANTASIADAS E AS MÁSCARAS DEIXAVAM UM MISTÉRIO NO AR.

Todos dançavam e Romeu convidou uma linda dama para ser seu par. Dançaram a noite inteira. A moça era alegre, divertida e muito bonita.

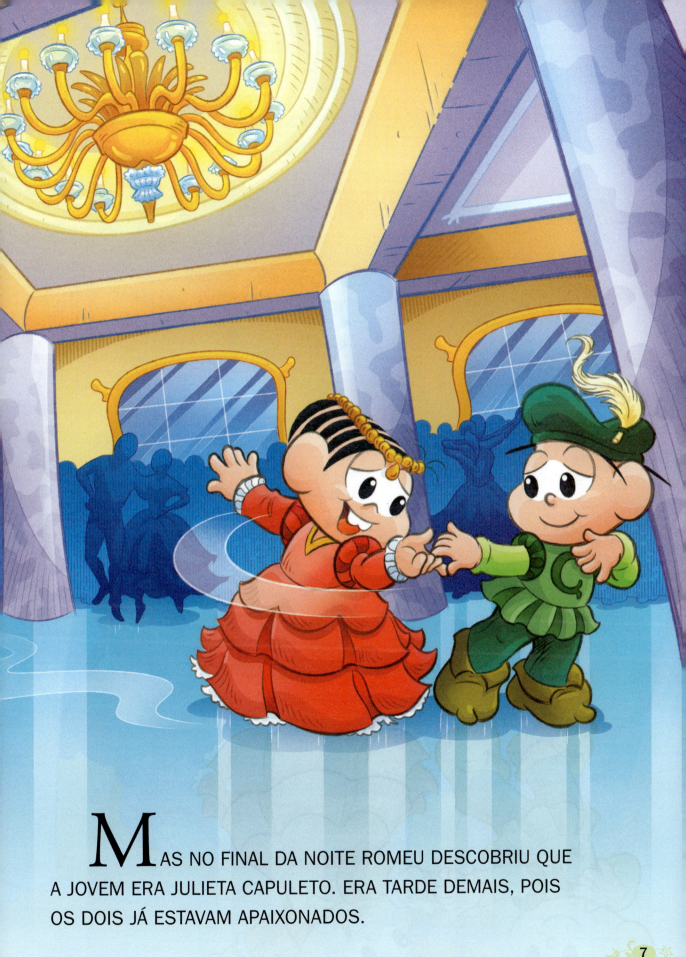

Mas no final da noite Romeu descobriu que a jovem era Julieta Capuleto. Era tarde demais, pois os dois já estavam apaixonados.

NA NOITE SEGUINTE, JULIETA FOI PARA A VARANDA DE SUA CASA E FALOU COM AS ESTRELAS, COMO FAZIA SEMPRE QUE QUERIA DIVIDIR SEUS SEGREDOS:
— MINHAS ESTRELINHAS, ESTOU MUITO APAIXONADA POR UM JOVEM MARAVILHOSO, MAS É UM AMOR PROIBIDO PORQUE NOSSAS FAMÍLIAS SÃO INIMIGAS. O QUE SERÁ DE MIM AGORA?

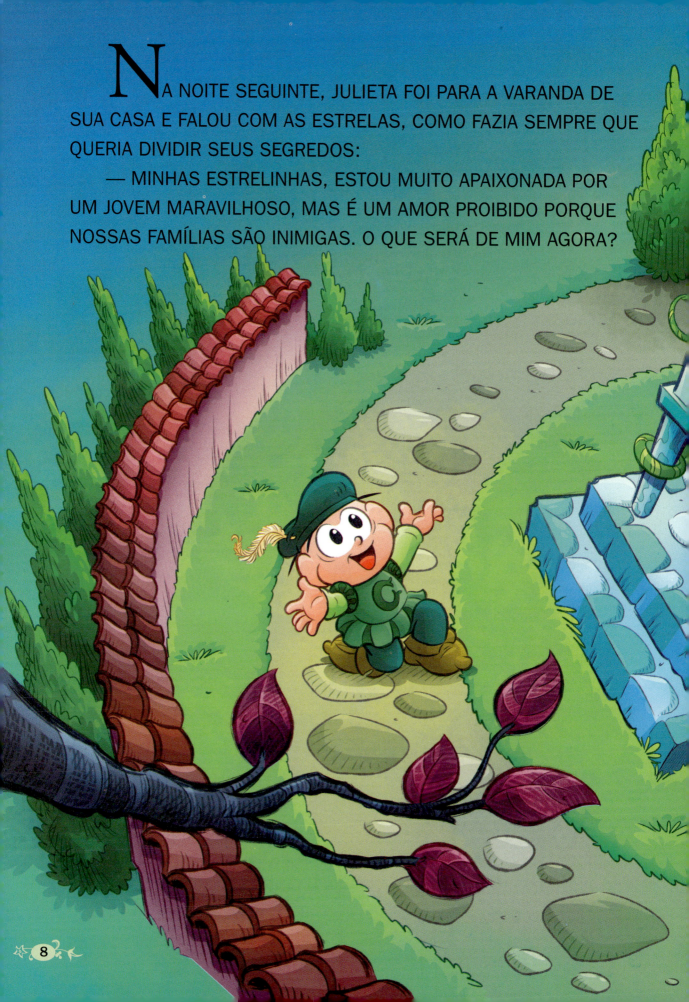

Romeu, escondido atrás de um arbusto, escutou a confissão de Julieta. O rapaz se revelou para ela e também declarou seu amor.

Eles começaram a namorar escondidos com a ajuda da ama de Julieta, que combinava os encontros.

Depois de um tempo, os pais de Julieta chegaram com uma novidade: um conde havia pedido a mão dela em casamento e a cerimônia aconteceria o mais rápido possível.

Julieta, apavorada com a ideia de perder seu amado, foi contar a novidade para Romeu, pois precisavam de uma solução rápida para evitar o casamento.

Os namorados decidiram se casar e procuraram o Frei Lourenço para ajudá-los. Mas como fazer suas famílias aceitarem o romance? Isso parecia impossível. Mas não para a esperta Julieta, que teve uma ideia e combinou tudo com o Frei e sua ama.

Ela tomaria uma poção paralisante para seus pais pensarem que tinha morrido e deixaria um bilhete com o frei explicando sobre o amor proibido. Eles ficariam tão desesperados em perdê-la que, ao descobrirem que ainda estava viva, estariam tão contentes que concordariam com o casamento.

JULIETA TOMOU A POÇÃO. A FAMÍLIA CAPULETO FICOU MUITO TRISTE E A NOTÍCIA DA MORTE DA GAROTA SE ESPALHOU RAPIDAMENTE POR VERONA.

ROMEU FICOU ATORMENTADO COM A MORTE DE SUA AMADA E CORREU PARA A CASA DE JULIETA.

Ao chegar no quarto, Romeu encontrou a família de sua amada chorando. O jovem leu o bilhete de Julieta e contou a todos o quanto eles eram apaixonados.

Então, o senhor Capuleto falou:

— Meu filho, essa briga estúpida entre as famílias levou a doce Julieta. Gostaríamos muito de voltar atrás nas nossas atitudes. Se nossa filhinha estivesse viva, nós concordaríamos com o casamento.

AS DUAS FAMÍLIAS PERCEBERAM QUE O AMOR DE ROMEU E JULIETA ERA VERDADEIRO E ISSO FEZ DESAPARECER O ÓDIO ENTRE ELAS.

O CASAMENTO FOI REALIZADO COM LUXO E MUITA POMPA. E ELES VIVERAM FELIZES POR MUITO, MUITO TEMPO.